Este libro pertenece a:

_____

Ilustrado por: The Disney Storybook Artists

Edición y textos: Sandra Pulido Urrea
Diseño: Felipe Ruiz Echeverri

GRUPO
EDITORIAL

Bogotá, Barcelona, Buenos Aires, Caracas, Guatemala, Lima, México, Miami, Panamá, Quito,
San José, San Juan, San Salvador, Santiago de Chile, Santo Domingo.

Printed in Colombia - Impreso en Colombia por Cargraphics S.A.
Primera edición - Agosto de 2008 - ISBN 978-958-45-1163-8

En una fría noche de invierno en Londres, una bebé reposaba tranquilamente en su cuna. Mientras su móvil giraba, la bebé dejó salir su primera risa y –como ocurre con todas las primeras risas– ¡un hada nació!

La risa flotó por fuera de la ventana y se sujetó a una pelusa de diente de león. Voló por encima del mundo humano directo hacia la Segunda Estrella a la Derecha y luego se metió en una ráfaga de luz que la llevó hasta el País de Nunca Jamás.

La risa flotó hacia La Hondonada de las Hadas, un
lugar mágico ubicado en el centro del País de Nunca Jamás,
donde vivían las hadas de Nunca Jamás.

—¡Oh! ¡Vamos, vamos! —gritaron las hadas. Ellas
siguieron a la risa mientras ésta recorría el camino que la
llevaba hacia el Árbol del Polvo de Hadas.

Un guardián de los polvillos de estrellas llamado
Terence, le roció un poco de estos polvos a la risa. Entonces
se escuchó un tintineo y la risa tomó la forma de un hada.

La Reina Clarion se acercó.

—Nacida de una risa y cubierta de alegría. La felicidad te ha traído hacia nuestra vía. Bienvenida a la tierra de las hadas —dijo.

La recién llegada agitó sus alas. ¡Podía volar!

La Reina Clarión sacudió su mano y varios hongos brotaron de la tierra. Las hadas empezaron a poner objetos sobre ellos. Rosetta, un hada con talento para el jardín, trajo una flor. Un hada con talento para el agua llamada Silvermist llevó una gotita de agua. Iridessa, un hada con talento para la luz, tenía una resplandeciente flor estrella, mientras que un hada con talento para volar velozmente, llamada Vidia, depositó un torbellino.

—Estos objetos te ayudarán a encontrar tu talento —explicó la Reina.

La nueva hada, tímidamente, posó su mano sobre la flor. Su brillo inmediatamente se desvaneció. Alcanzó con un dedo la gota de agua, pero su brillo también se desvaneció. Luego, tocó el torbellino y éste desapareció.

La nueva hada estaba desanimada. Pero cuando pasó al lado de un martillo, éste empezó a brillar. ¡Luego voló directamente hacia ella!

—Nunca había visto un martillo que brillara tanto —dijo Silvermist. Rosetta estuvo de acuerdo.

—¡Santas margaritas, efectivamente, debe tratarse de un talento muy raro! —exclamó Rosetta.

Vidia se esfumó. Ella tenía uno de los más poderosos y raros talentos de la tierra de las hadas y no estaba buscando una competencia.

—Pasen, adelante, hadas artesanas —llamó la Reina— y denle la bienvenida al nuevo miembro de su grupo: ¡Tinker Bell!

—¡Hola, hola! ¡Yo soy Clank! —saludó amigablemente un regordete hombre gorrión artesano.

—Tu llegada nos hace sentir tan felices como un montón de ollas perfectamente lustradas —añadió Bobble, otro hombre gorrión artesano que usaba unos anteojos de gotas de rocío.

—¡Has llegado en uno de los más gloriosos y maravillosos momentos! —dijo Clank, mientras volaban sobre la tierra de las hadas.

—¡Ya casi es tiempo del cambio de las estaciones! —añadió Bobble.

—¡Bienvenida al Rincón de los artesanos! —anunció
Bobble después de un rato.

Tinker Bell vio un pequeño jardín en cuyo interior
había casas hechas de ramas y hojas. Las hadas estaban
arreglando y diseñando todo tipo de útiles y sorprendentes
objetos.

Clank y Bobble dejaron a Tinker Bell instalada en su pequeña casa. Toda la ropa de su armario le quedaba muy grande. Por fortuna, Tinker Bell sabía exactamente lo que tenía que hacer.

Tinker Bell se puso su nuevo vestido, se amarró el cabello con una moña y se presentó al taller.

Pronto, el Hada Mary, la maestra de todas las hadas que dirigía el Rincón de los artesanos, llegó.

—¡Son tan delicadas! —exclamó el Hada Mary cuando vio las manos de Tinker Bell—. No te preocupes, querida, vamos a fortalecer esos músculos de artesana rápidamente.

Después de recordarles a Clank y a Bobble que hicieran sus entregas, el Hada Mary se fue.

Poco tiempo después, Tinker Bell, Clank y Bobble se dispusieron a entregar, con la ayuda del ratón Queso, algunos artículos para la primavera a las hadas de la naturaleza.

De repente, escucharon un sonido detrás de ellos. ¡PITTER-PATTER! ¡PITTER-PATTER!

—¡Cardos corredores! ¡Aaaaah! —gritó Clank.

¡Las hierbas que los rodeaban tomaron vida y estaban corriendo hacia ellos!

La carretilla que los transportaba descendió por el camino volando y se estrelló en el centro de la Plaza de la primavera.

Afortunadamente, todos salieron ilesos. Entonces, empezaron a hacer sus entregas. Había bolsas hechas con plantas medicinales para un hada con talento para los animales llamada Fawn, pinceles de sauce blanco para Rosetta y tubos de arco iris para Iridessa.

Silvermist estaba ahí también y esparció agua en el aire. Cuando Iridessa voló a través de las gotas de agua, se formó un perfecto arco iris. Iridessa lo enrolló dentro de un tubo.

—Lo voy a llevar a Tierra Firme —le explicó a Tinker Bell.

—¿Qué es Tierra Firme? —preguntó la nueva hada.

—Es adonde vamos a llevar la primavera, para cambiar las estaciones —respondió Silvermist.

Luego, las hadas artesanas se detuvieron en El Cañón del botón de oro. Vidia les cerró el paso, usando su torbellino para extraer polen de las flores.

—¡Hola! —dijo Tinker Bell—. ¿Cuál es tu talento?

—Soy un hada de vuelo veloz —respondió Vidia—. Yo fabrico las brisas en verano y hago caer las hojas en otoño. Todas las hadas dependen de mí.

—¡Las hadas artesanas también ayudamos a todas las hadas! —dijo Tinker Bell con emoción.

—Yo creo las fuerzas de la naturaleza, tú simplemente reparas ollas y cacharros —señaló Vidia—. Ciertamente la primavera no depende de ti.

—¡Cuando vaya a Tierra Firme, voy a demostrar lo importantes que somos! —replicó Tinker Bell.

—Yo, por mi parte, espero con ansias que eso pase —dijo Vidia volteando los ojos.

Tinker Bell se fue volando, enfadada y refunfuñando. Sin embargo, pronto la distrajo algo que brillaba en la playa. Se acercó para ver mejor. ¡Era una moneda!

Tinker Bell empezó a cavar y, en breve, encontró todo tipo de tesoros. Los recogió y los llevó al taller.

—Cosas perdidas —dijo Clank cuando Tinker Bell regresó.

—Llegan a la orilla del País de Nunca Jamás de vez en cuando —comentó Bobble—. Aunque, la verdad, no sirven mucho.

El Hada Mary movió a un lado las baratijas de Tinker Bell. La Reina iba a revisar los preparativos para la primavera esa misma noche y todavía había mucho por hacer.

¡Tinker Bell sabía que ésta era su oportunidad para demostrar lo importante que era el talento de las hadas artesanas!

Esa noche, el Ministro de la Primavera recibió a la Reina Clarion para la ceremonia de revisión.

—Cuando el Árbol de Nunca Jamás florezca, estaremos listos para llevar la primavera a Tierra Firme —dijo el Ministro orgullosamente.

De repente, Tinker Bell llegó.

—Se me ocurrieron cosas fantásticas para que usemos cuando vayamos a Tierra Firme —exclamó.

Antes de que la Reina pudiera decir algo, Tinker Bell sacó un atomizador de pintura casero. Pero en vez de rociar pintura, explotó, ¡creando un gran desastre!

La Reina miró compasivamente a Tinker Bell.

—Las hadas artesanas no van a Tierra Firme —dijo—. Todo el trabajo de la primavera es realizado por las hadas de la naturaleza. Lo siento.

Tinker Bell regresó al taller.

—Ser un hada artesana apesta —refunfuñó.

—¿Perdón? —replicó el Hada Mary.

—¿Por qué no podemos ir a Tierra Firme? —preguntó Tinker Bell.

—El día en que puedas mágicamente hacer que las flores crezcan o capturar los rayos del sol, podrás ir —dijo el Hada Mary con impaciencia.

De pronto, Tinker Bell sonrió disimuladamente. Tenía una idea.

A la mañana siguiente, Tinker Bell encontró a sus amigos en el Pozo de los polvillos de estrella.

—Si tan sólo pudieran enseñarme sus talentos, tal vez la Reina me dejaría ir a Tierra Firme —dijo Tinker Bell.

¡Ni a las hadas ni a los hombres gorrión se les habría ocurrido nunca cambiar sus talentos! Así que, a regañadientes, los amigos de Tinker Bell accedieron a ayudarla.

La primera fue Silvermist. El hada con talento para el agua le mostró a Tinker Bell cómo depositar una gota de rocío en una telaraña. Pero cada vez que Tinker Bell lo intentaba, la gota de rocío estallaba.

Luego, Iridessa le mostró cómo darle a las luciérnagas su característico brillo. Ella capturaba la luz en un balde y luego la esparcía. Entonces, un montón de luciérnagas volaban a través de la luz y se iluminaban. Pero cuando Tinker Bell lo intentó, la luz no se pegó a sus dedos. Así que tiró el balde con frustración. La luz se derramó en todas las direcciones. ¡Ahora ella también estaba brillando! Las luciérnagas la rodearon extasiadas, ¡pensaban que Tinker Bell era lo más bello que habían visto!

Fawn ya tenía planeada la clase que le iba a dar a Tinker Bell sobre las hadas de los animales.

—Vamos a enseñarles a los pichones a volar —anunció. Fawn le mostró a Tinker Bell lo que tenía que hacer. Desafortunadamente, el pajarito de Tinker Bell estaba aterrorizado. Él no quería ir a ninguna parte.

Tinker Bell vio un pájaro majestuoso volando sobre su cabeza.

—¡Tal vez él pueda ayudarme! —pensó. Entonces movió su mano intentando llamar la atención del ave.

Las hadas exploradoras se asomaron para ver lo que estaba ocurriendo.

—¡Halcón! ¡Halcón! —gritaron, haciendo sonar sus trompetas en señal de alerta.

Tinker Bell vio un árbol con un agujero en forma de nudo y saltó adentro para refugiarse ahí.

El agujero ya estaba ocupado por Vidia. *¡CRACK!* El halcón atravesó la corteza del árbol con su pico.

Las dos hadas tenían que salir de ahí, ¡y rápido! Entonces saltaron a un hoyo que las condujo a un oscuro túnel.

Cuando Vidia llegó al final del túnel, pudo ver al halcón en una rama cercana. Ella se detuvo justo a tiempo, pero Tinker Bell accidentalmente chocó contra ella. Vidia salió disparada fuera del árbol. El halcón abrió su pico, listo para dar el golpe mortal. Las otras hadas le arrojaron frambuesas, piedras y palos. Por fortuna, el ave finalmente se fue.

—Déjame ayudarte —le dijo Tinker Bell a Vidia.

—¡Estoy bien! —contestó Vidia bruscamente.

—Sólo estaba tratando de ayudarte —explicó Tinker Bell. Ella se sintió horrible por lo sucedido.

Poco tiempo después, Tinker Bell se sentó sola en la playa.

—A este ritmo, creo que mi viaje a Tierra Firme… ¡no va a ocurrir nunca!

Tinker Bell tiró furiosa una piedra hacia los arbustos y escuchó un *¡CLUNK!* Fue a investigar y encontró una hermosa caja de porcelana.

Cuando sus amigas
la encontraron, Tinker Bell
estaba ocupada poniendo todo el
engranaje, los tornillos y resortes, de nuevo
dentro de la caja. El toque final consistía en sujetar
una bailarina a la tapa. Tinker Bell le dio un giro a la
bailarina y, para su deleite, ¡la caja tocó música!

—¿Te has percatado de lo que estás haciendo? —preguntó
Rosetta—. Arreglar cosas como ésta, ¡eso es lo que significa
ser un hada artesana!

—A fin de cuentas, ¿a quién le interesa ir a Tierra Firme?
—añadió Silvermist.

Pero Tinker Bell todavía quería ir.

Tinker Bell fue a ver a la única hada que ella pensó podría ayudarla. Pero Vidia no estaba de humor para recibir visitantes, y mucho menos a Tinker Bell.

—Tú eres mi última esperanza —suplicó Tinker Bell—. Rosetta ni siquiera intentará enseñarme cómo ser un hada con talento para el jardín.

Eso le dio a Vidia una idea malvada. Sugirió que Tinker Bell debía capturar a los Cardos corredores para demostrar que podía ser una buena hada con talento para el jardín.

Tinker Bell sabía que el plan de Vidia era su última oportunidad para poder ir a Tierra Firme. Entonces se alistó para la acción y construyó un corral.

—¡*Yiii-ja! ¡Git! ¡Git!* —gritó Tinker Bell, mientras cabalgaba encima de Queso hacia la Pradera Afilada. Usó dos palos en forma de bastón para conducir algunos cardos hacia el interior del corral.

—¡Está funcionando! —gritó Tinker Bell llena de dicha.

Pero mientras regresaba a la pradera, Vidia, silenciosamente abrió de un soplo la puerta del corral. Los cardos se escaparon.

Pronto, otros cardos aparecieron para acompañar a los que habían escapado. ¡Era una estampida!

Los cardos se dirigieron hacia la Plaza de la primavera pisoteando todas las provisiones que estaban cuidadosamente organizadas para la primavera.

Todo fue destruido. Y la culpable era Tinker Bell.

—¡No existe una sola hada del jardín que pueda controlar a esas hierbas! —exclamó Rosetta.

—Esta situación se nos ha salido de las manos —declaró Silvermist.

Justo en ese momento apareció la Reina Clarion.

—¡Por la Segunda Estrella! Todos los preparativos para la primavera…

—Lo siento —susurró Tinker Bell, mientras se alejaba volando hacia el cielo.

Poco tiempo después, Tinker Bell fue al Pozo del polvillo de estrellas. Le dijo a Terence que planeaba irse de la tierra de las hadas. Él, muy amablemente, le dio una ración doble de polvillo de estrellas.

—Gracias, Terence —dijo Tinker Bell.

Terence estaba sorprendido de que ella supiera su nombre.

—Yo soy simplemente un guardián de los polvillos de estrellas —dijo—, no soy exactamente el hada más importante de la tierra de las hadas.

—¡Tú eres probablemente el más importante de este lugar! —argumentó Tinker Bell—. ¡Sin ti, ninguna de las hadas tendría algún poder mágico! ¡Deberías estar orgulloso!

—Lo estoy —replicó Terence.

Tinker Bell se dio cuenta de que Terence sabía que ella no estaba orgullosa con su propio talento.

Tinker Bell se detuvo a visitar el taller por última vez. Aunque sus creaciones nunca hubiesen funcionado, a ella le encantaba inventar y arreglar cosas. Justo en ese momento, se percató de que Queso estaba olfateando algo. Era el montón de baratijas que había encontrado en la playa.

—Cosas perdidas… ¡eso es! —gritó.

Entonces fue a su mesa y se puso a trabajar.

Esa noche, la Reina Clarion reunió a todas las hadas. Les explicó que la primavera no llegaría ese año, puesto que no había tiempo para reemplazar todo lo que se había arruinado.

—¡Esperen! —gritó Tinker Bell, aterrizando en medio de la plaza—. Sé cómo arreglar todo.

Les hizo la demostración de su atomizador de pintura, el cual había arreglado para que funcionara perfectamente.

Tinker Bell también había diseñado rápidas máquinas para arreglar todo lo que los cardos habían pisoteado. Vidia estaba furiosa.

—Capturar a los cardos... —murmuró Vidia—. ¡Debí haberte dicho que persiguieras al halcón!

La Reina Clarion alcanzó a escuchar esto y miró con dureza a Vidia.

—Yo creo que tu talento para volar velozmente es bastante adecuado para que puedas capturar a todos y cada uno de los cardos —dijo la Reina severamente.

Vidia se alejó volando. Repentinamente, tenía mucho trabajo por hacer.

La Reina se dirigió a Tinker Bell.

—¿Estás segura de que puedes hacer esto? —preguntó.

—Yo soy un hada artesana y mi labor es arreglar cosas —respondió Tinker Bell, confiada—. ¡Pero no puedo hacerlo sola!

Clank, Bobble y el resto de hadas ofrecieron su ayuda. Rápidamente la plaza estaba llena de objetos útiles.

Tinker Bell le mostró a un grupo de hadas cómo ensamblar una máquina para hacer pintura de frambuesa. Tan pronto las partes de la máquina estuvieron ajustadas, las frambuesas fueron machacadas y docenas de baldes se llenaron de pintura hasta el tope.

Luego, Tinker Bell usó un guante y una armónica para hacer una aspiradora. Las hadas pudieron usar este invento para recolectar cientos de semillas a la vez.

Para donde mirara, Tinker Bell podía ver cubetas y canastas llenas de provisiones para la primavera. ¡Su plan estaba funcionando!

En las primeras horas de la mañana siguiente, la Reina Clarion y los Ministros de las estaciones llegaron a la plaza. No podían creer lo que veían, ¡había más provisiones para la primavera de las que nunca habían visto! Cuando el sol empezó a levantarse, la Flor de Nunca Jamás se abrió, ofreciendo un brillo dorado. ¡Era el momento de llevar la primavera a Tierra Firme! Las hadas se animaron.

—¡Lo lograste, Tinker Bell! —exclamó la Reina.

—Todos lo logramos —aclaró Tinker Bell.

—¿Tinker Bell puede venir con nosotras? —preguntó Silvermist.

—No importa, de verdad —protestó Tinker Bell—. Mi trabajo está aquí.

El Hada Mary emitió un pequeño silbido y Clank y Bobble aparecieron con la caja de música.

—Yo me topé con este artefacto hace un tiempo —dijo el Hada Mary—. No tenía ni la menor idea de cómo arreglarlo. Pero tú pudiste hacerlo, Tinker Bell. Y me imagino que hay alguien allá afuera que debe estar extrañando esta caja de música. Tal vez, cierta hada artesana tiene un trabajo por hacer… en Tierra Firme.

Tinker Bell y otras hadas viajaron hacia Londres. Cuando llegaron, hacía mucho frío y el paisaje estaba gris. Las hadas se repartieron por toda la ciudad. Un hada de la luz derritió la escarcha de la rama de un árbol. Un hada del agua espolvoreó polvillo de estrellas en un lago congelado para derretir el hielo. Las hadas de los animales despertaron cuidadosamente a las criaturas que habían estado hibernando dentro de los árboles.

Pronto, las plantas florecieron y los pichones alzaron el vuelo. Tinker Bell estaba maravillada por la magia que sus amigas creaban a su paso.

Ahora era el momento para que Tinker Bell hiciera su entrega especial. Tomó un poco del polvillo de estrellas que le había dado Terence y lo esparció sobre la caja de música, para hacerla volar. Cuando Tinker Bell pasó al lado de la ventana de una habitación, tanto ella como la caja de música brillaron. Tinker Bell supo de inmediato que el dueño de la caja de música seguramente vivía allí. Entonces la puso sobre la ventana y miró hacia el interior de la habitación.

Tinker Bell golpeó el vidrio y se escondió rápidamente. A los pocos segundos, una pequeña niña llamada Wendy Darling sacó su cabeza por la ventana. La cara de Wendy se llenó de alegría. Tomó una pequeña llave de una cadena que tenía puesta en el cuello y la metió en una ranura. ¡La caja de música empezó a sonar!

El trabajo de las hadas estaba listo. Era hora de regresar al País de Nunca Jamás.

A partir de entonces, Tinker Bell usó su raro talento para hacer un poco mejor la vida de todos en la tierra de las hadas. ¡Estaba orgullosa de ser un hada artesana!